Alex e

L'auteur remercie particulièrement :

L'A.P.F. (Association des Paralysés de France)
Marielle Assouline, Dr Michel Delcey et Franck Hourdeau.
Le Service de Soins de Bonneuil : Hélène Auféril, directrice,
Joëlle Bertin, psychologue.
Le Centre St Jean de Dieu : Les enfants du groupe
« Galaxie » et Marie-Jeanne Leca, éducatrice chef.
Les institutrices spécialisées de L'Education Nationale :
Annick Aumasson, Denise Bapt, Sylviane Chéron,
Isabelle de Mazarin.
Les parents et les enfants : Jeanine Casaril et Pierre Delprat,
Guilain Lobut, Fabienne, Jean-Jacques et Rachel Paul,
Joël de Perthuis, Aïcha Kabladj,

pour leur chaleureuse collaboration.

Collection dirigée par Dominique de Saint Mars

Imprimé en CEE
ISBN : 2-88445-426-8

Ainsi va la vie

Alex est handicapé

Dominique de Saint Mars

Serge Bloch

CALLIGRAM
CHRISTIAN GALLIMARD

Voici Alex. Nous avons déjà parlé de lui. On est content de l'accueillir et on lui fait une place dans la classe. A côté de Max ?
Euh... mais... il y a déjà Jérôme !

Alors... à côté de Jérémy ?
Pourquoi moi ? Pourquoi pas Max ?
Bon... Alex, on va se serrer...

*Infirme (qui ne peut se servir d'une partie de son corps)
Moteur (qui donne le mouvement) Cérébral (qui vient du cerveau)

Allez, on travaille sur les Mérovingiens...
« Les mères aux vingt chiens... »

Arrêtez de parler, sinon je vous sépare !

DRIIING ! DRIIING !
À moi de me mettre dans les buts, Max !

Mais... et Alex... ?
Laisse tomber ! Il ne peut pas jouer au foot !

Euh... tu restes là ? Tu ne veux pas sortir ?
Non, je vais brancher mon ordinateur. Et puis je ne suis pas tout seul !

Tiens, voilà la nounou d'Alex ! Trop tard, on a déjà fait les équipes !
Allez, soyez pas vaches !

Max, Max, tu pourrais venir jouer chez moi ?
Oui, un de ces jours, si tu veux !
Bon, tu ne vas pas te marier avec lui, quand même !
Les filles s'en occupent assez comme ça !

Vous êtes jaloux ? Ça a l'air d'un marrant, vous savez !
Il est peut-être sympa mais à quoi tu veux jouer avec lui ?

Maaax... !
Le téléphone
pour toi !

Allo, c'est toi, Alex ?
Quoi, travailler ?
Ah... des jeux vidéo ?
D'accord, j'arrive !

UN PEU PLUS TARD...
Ça ne te gêne pas
d'être assis dans un
fauteuil roulant ?
Non, c'est super !

Qu'est-ce que t'es bon
en français, toi !
Je peux t'aider un peu ! Sinon,
c'est toujours moi qu'il faut aider !
Personne n'est
parfait ! Allez, on joue ?

Vous en faites un chahut !
Alex, tu peux faire ta toilette
maintenant. Papy et Mamie
viennent dîner.
Vous voulez que
je m'en aille ?
Non, reste,
tu vas pouvoir
m'aider.

Alex ! Tout ce que tu peux faire, tu dois le faire tout seul !
Tu vois Max, ici c'est toujours les travaux forcés.

Mais où est ton père ?
Mes parents sont divorcés. Mais je le vois souvent.

Je ne peux vraiment pas... ?
Non ! Le bourreau nous regarde !
Oh, mon lapin ! Tu sais que c'est la seule façon de faire des progrès !

C'est quoi, ces bottes de robot ?
Pour redresser mes pieds, la nuit... Sinon, ils font des pointes !

Avec ces cannes, tu arrives à marcher ?
Oui, mais pas longtemps.
Et maintenant, au bain ! Max, ta maman a appelé, elle passe te prendre.

Alex, je peux m'asseoir sur ton fauteuil électrique ?
Bien sûr, essaye-le !

Aïe, mon dos !
Bientôt, tu ne pourras plus me porter... Ah, je t'embête tout le temps ! Peut-être que j'aurais pas dû naître ?

Mais si ! Même si c'est dur parfois, ton père et moi, nous sommes très fiers de toi !
Mais pourquoi moi ? C'est pas juste !
Chienne de vie !

Oui, mais tu as plein d'autres possibilités et tu as toute ta vie pour les découvrir. Tu as de l'humour, de...
Et tu es plus courageux que moi pour le travail !
Bon ça va, les compliments ! C'est pas ce qui va me faire marcher !

DRRIIING !!!
Zut ! Ça doit déjà être maman !
Tu vas ouvrir, Max ? On arrive.

Mon Dieu, Max !
Max, arrête de faire peur à ta mère !
Mais, maman, on s'amuse, c'est génial !

Tiens, la plus charmante fille de l'école !

Votre Max, il est formidable. Il y a longtemps qu'Alex n'a pas ri comme ça...
Tant mieux ! Mais est-ce qu'Alex pourra venir à la maison ?

* mot anglais qui veut dire : désavantage. En sport, on donne des handicaps pour égaliser les chances des concurrents.

Tu sais, Alex, il est incroyable ! On peut tout faire avec lui et il est aussi désordre que moi !
Des vrais frères !

Mais comment il fait pour se déshabiller avec une seule main !
Il est habitué ou peut-être qu'il est plus intelligent !
CRAAC
Ah zut !

Maman, je peux inviter Alex, ce week-end ?
Bien sûr ! Vous ne ferez pas de bêtises ?

ET CE SAMEDI-LÀ...
Hé, Jérémy, viens voir ! Ils veulent faire un truc vraiment dingue !
Je te montre la cabane !

Même avec l'échelle, il ne pourra pas monter... !
Et on ne peut pas le prendre sur notre dos, même attaché avec la corde !
La planche ! Mets-la sur l'échelle !

C'est trop dangereux !
T'inquiète, Jérôme, j'ai une âme d'aventurier !

Allez, ho hisse ! Vraiment pas mal, ton système, Alex !
Rien dans les muscles, tout dans la tête !
Mieux vaut ça que le contraire !

Pourquoi tu me regardes, en disant ça ?
Ça y est, maintenant, vous allez vous battre à cause de moi !

Alors, comment tu trouves ?
C'est le plus beau jour de ma vie. J'ai l'impression d'être un oiseau !
Quel poète !

Si on s'attaquait à ce super pique-nique ?
Y a pas de chocolat ?
T'as faim, l'oiseau ?

On est super bien dans la cabane. On devrait venir plus souvent !
Et avec du chocolat !
T'aurais pu la faire plus haute, Max. On ne peut pas se tenir debout.

Moi, ça m'arrange, on est tous pareils pour une fois !

ATTENTION !!! LES BISCUITS !!! ALEX !

Pardon, je suis désolé... Avec mes mains, je ne fais pas toujours ce que je veux !
Pas grave !

C'est comme avec les muscles de ma bouche. Ça m'énerve, elle reste ouverte !
Moi aussi, je suis maladroit ! Je me souviens, quand je construisais la cabane avec mon cousin, j'ai...

Hé, Max, on devait faire un foot ! Les autres nous attendent !

Ah, oui, le foot...
Mais Alex ?
Hé, ne me laissez
pas tomber !

Moi, je ne vais pas jouer.
Mais je vais te chercher du
chocolat. Je reviens dans
cinq minutes.
À plus tard,
Alex !
O. K., je t'attends.
Grouille !

Allez, viens jouer un peu avec nous ! Alex peut t'attendre.
Tu crois ? Mais une minute, alors !

Hé, on est là !
70

ET LE TEMPS PASSE...
ZUUUT ! ALEX !!!
JE L'AI OUBLIÉ !!!

ALEEXX !
Il n’est plus là, son fauteuil non plus !

Mais comment a-t-il pu descendre tout seul ?

Qu'est-ce que tu fais ?
Alex n'est pas avec toi ?
Zut, sa mère !
Si, à la maison, mais...
il voulait sa casquette !

Ouh là là, ça a failli
être la catastrophe !

ALEEEX !!! ???
Zut, il n'est pas chez moi !

C'est atroce, j'ai perdu Alex !
Vite, il faut trouver des indices
à la cabane.

ALEEEEX !!!
Il n'a pas laissé un signe, rien.
Il est perdu, peut-être mort !
Et c'est de ma faute !

?!
?!
?!
Je suis là...

Comme tu ne revenais pas...

Heureusement que je suis venue à la cabane !
Lili m'a aidé à descendre avec la corde. On a voulu se cacher pour te faire un peu peur.
Vous avez très bien réussi !

Quand tu es venu, tu courais partout...
Ça nous faisait rire !
Tu voulais te venger ?

Euh, un peu, mais je t'ai fait trop peur, je te demande pardon.
AH NON, C'EST MOI ! Je t'ai trahi en restant jouer !

Mais non, tu ne m'as pas trahi ! Personne n'est parfait, c'est tout !
En tout cas, on ne te lâche plus !
On a trop peur que t'ailles encore te cacher !

Et toi...

Est-ce qu'il t'est arrivé la même histoire qu'à Max ?

Est-ce de naissance ? À cause d'une maladie ? Est-ce que ça se voit ? Sais-tu l'expliquer ? Te sens-tu différent ?

Es-tu heureux ? Découragé ? Comment réagis-tu aux questions, aux regards ? Fais-tu des choses en imagination ?

Es-tu dans une école ordinaire ? Dans un centre spécialisé ? Est-ce dur ? Est-on parfois méchant avec toi ? Ou trop gentil ?

Tes parents sont-ils câlins ? Vous énervez-vous parfois ? Comment t'aident-ils ? Quel métier voudrais-tu faire ?

Fais-tu du sport ? Du théâtre ou...? Est-ce dur ? Ça t'a permis de te faire des copains ? D'avoir confiance en toi ?

As-tu des frères et sœurs ? T'entends-tu bien avec eux ? Pensent-ils qu'on s'occupe trop de toi ? Les envies-tu ?

Est-ce que cela a été facile de le découvrir ? Es-tu moins intimidé si tu sais les raisons de son handicap ?

Sa différence t'intéresse ? Ou te fait peur ? Te rend agressif ? Crois-tu que ça peut arriver à chacun ? Es-tu prudent ?

T'amuses-tu ou te disputes-tu avec lui comme avec les autres ? Le trouves-tu plus mûr ? Plus fragile ou plus fort ?

Arrives-tu à le faire participer à sa façon à tes jeux ? Fais-tu du sport avec lui ? Finis-tu par oublier son handicap ?

Avant, te rendais-tu compte de tous les efforts qu'il faisait pour se déplacer, apprendre ? Le trouves-tu courageux ?

As-tu une difficulté qui ne se voit pas ou qu'on ne trouve pas importante ? Ou un problème dont tu as du mal à parler ?

**Après avoir réfléchi
à ces questions
sur les handicapés,
tu peux en parler
avec tes parents ou tes amis.**